Y0-AET-457

礼仪教育
伊犁人民出版社

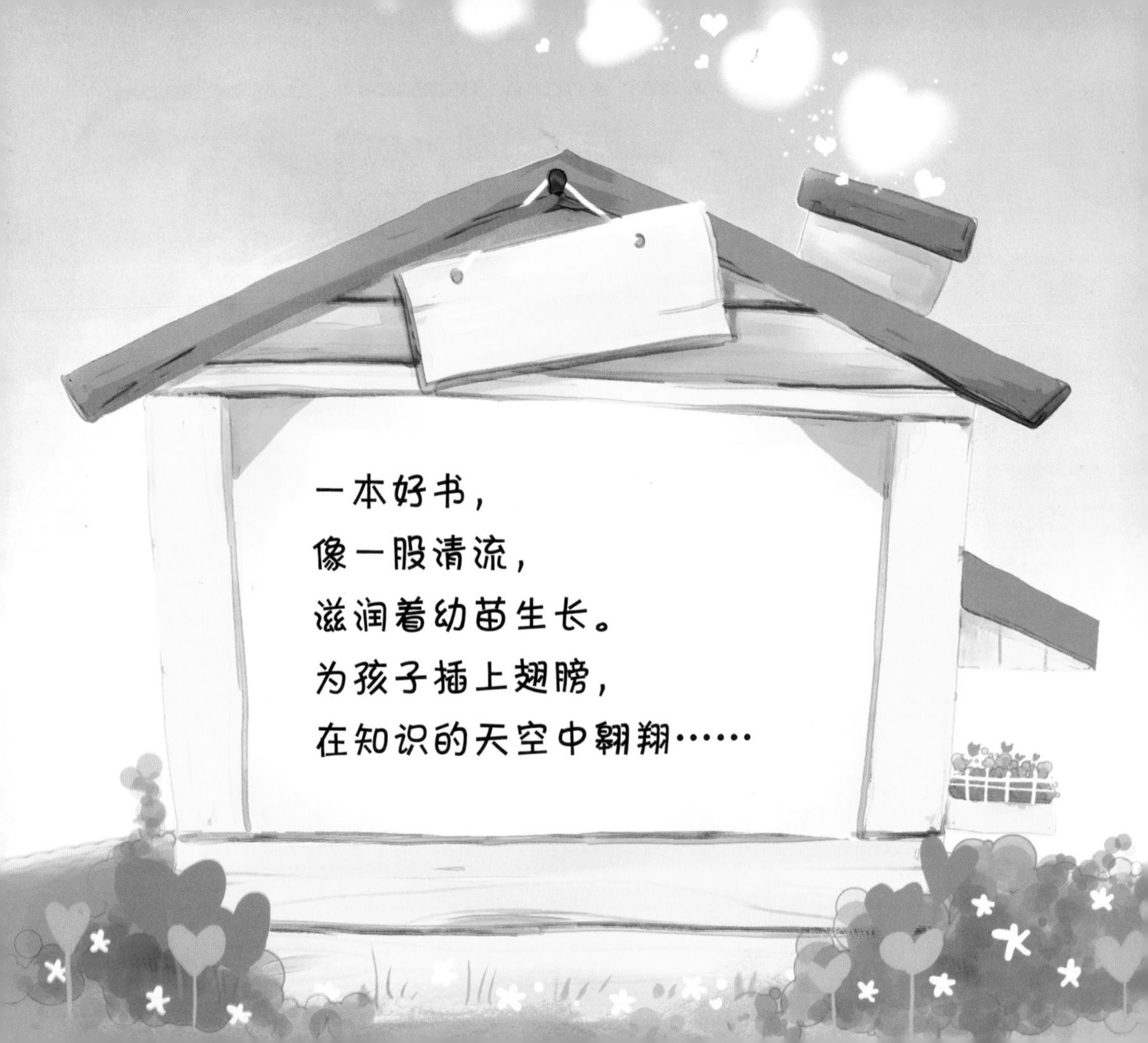
一本好书，
像一股清流，
滋润着幼苗生长。
为孩子插上翅膀，
在知识的天空中翱翔……

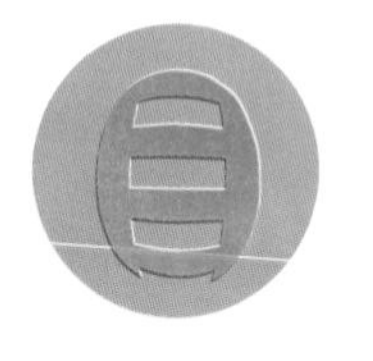

目录

热情待客的小山羊

yì tiān xiǎo shān yáng de mā ma chū
1. 一天，小山羊的妈妈出
mén le bǎ tā yí gè rén liú zài jiā li
门了，把他一个人留在家里。

jiù zài

2. 就在

zhè shí yǒu rén lái

这时，有人来

qiāo mén le xiǎo

敲门了。小

shān yáng cóng māo yǎn

山羊从猫眼

li kàn jiàn shì niú

里，看见是牛

dà shěn lái le

大婶来了。

xiǎo shānyáng qǐng niú
3.小山羊请牛
dà shěn jìn wū bìng gěi tā
大婶进屋，并给她
dào le yì bēi rè chá
倒了一杯热茶。

bù yí huì er shān yáng mā ma huí lái
4.不一会儿，山羊妈妈回来

le mā ma niú dà shěn lái le xiǎo shān
了。“妈妈，牛大婶来了！”小山

yáng zǒu dào mén kǒu yíng jiē mā ma
羊走到门口迎接妈妈。

niú dà shěn duì shān yáng mā ma shuō nǐ jiā
5. 牛大婶对山羊妈妈说："你家
xiǎo bǎo bèi zhēn guāi zhēn huì zhào gù kè rén xiǎo shān yáng
小宝贝真乖，真会照顾客人。"小山羊
tīng le bù hǎo yì si de xiào le
听了不好意思地笑了。

猫咪请客

zhè yì tiān māo mā ma guò shēng
1. 这一天，猫妈妈过生
rì jiā li lái le hǎo duō kè rén
日，家里来了好多客人。

xiǎo māo mī bǎ shuǐ guǒ quán bào
2.小猫咪把水果全抱

zài shǒushang yǐn de dà jiā hā hā dà xiào
在手上，引得大家哈哈大笑。

xiǎo māo mī gèng gāo xīng le tā pá dào zhuō shang
3.小猫咪更高兴了，她爬到桌上
tiào qǐ wǔ lái mā ma ràng tā xià lái tā yě bù tīng
跳起舞来，妈妈让她下来她也不听。

yí bù xiǎo xīn xiǎo māo mī shuāi dǎo le shǒu
4.一不小心，小猫咪摔倒了，手
shang de shuǐ guǒ diào de mǎn dì dōu shì hái bǎ dàn gāo
上的水果掉得满地都是，还把蛋糕
yě dǎ fān le
也打翻了。

kè rén men dōu bù gāo xìng le xiǎo
5. 客人们都不高兴了。小
māo mī gǎn máng shōu shi dì shang de dōng xi dà jiā
猫咪赶忙收拾地上的东西，大家
yě dōu bāng zhe tā shōu shi cóng nà yǐ hòu xiǎo
也都帮着她收拾。从那以后，小
māo mī zài yě bù tiáo pí le
猫咪再也不调皮了。

小熊让座

zhè tiān xiǎo xióng zuò gōnggòng qì

1.这天，小熊坐公共汽

chē qù kàn wàngxiāng xia de nǎi nai

车去看望乡下的奶奶。

tú zhōng yí wèi tuǐ jiǎo
2.途中，一位腿脚
bù líng biàn de yáng nǎi nai shàng chē
不灵便的羊奶奶上车
le yóu yú méi zuò wèi tā zhǐ
了，由于没座位，她只
hǎo zhàn zhe
好站着。

xiǎo xióng fā xiàn xiǎo huā gǒu zhèng tǎng zài liǎng gè
3. 小熊发现小花狗正躺在两个
zuò wèi shang shuì jiào biàn pǎo guò qù yào tā ràng zuò
座位上睡觉，便跑过去要他让座。

xiǎo huā gǒu jiǎ zhuāng shuì zháo le bù lǐ huì xiǎo
4.小花狗假装睡着了，不理会小

xióng xiǎo xióng zhǐ hǎo bǎ zì jǐ de zuò wèi ràng gěi le
熊。小熊只好把自己的座位让给了

yáng nǎi nai
羊奶奶。

chē shang de shū shu ā
5. 车上的叔叔阿
yí men jiàn le dōu kuā xiǎo xióng shì
姨们见了，都夸小熊是
gè zūn jìng lǎo rén de hǎo hái zi
个尊敬老人的好孩子。

不讲卫生的小猪

fàng xué le xiǎo zhū dū
1.放学了，小猪嘟
du shēn shang zāng hū hu de mā
嘟身上脏乎乎的。妈
ma ràng tā xǐ zǎo tā què pǎo qù
妈让他洗澡，他却跑去
gōng yuán wán le
公园玩了。

gōng yuán li yǒu xǔ duō

2.公园里有许多

xiǎo dòng wù zài zuò yóu xì kě

小动物在做游戏，可

rè nao la

热闹啦！

dū du yě xiǎng qù wán kě dà jiā shuō wǒ
3.嘟嘟也想去玩，可大家说："我
men bù hé nǐ wán nǐ tài zāng le dū du méi bàn
们不和你玩，你太脏了。"嘟嘟没办
fǎ zhǐ néng tǎng zài dì shang shuì jiào
法，只能躺在地上睡觉。

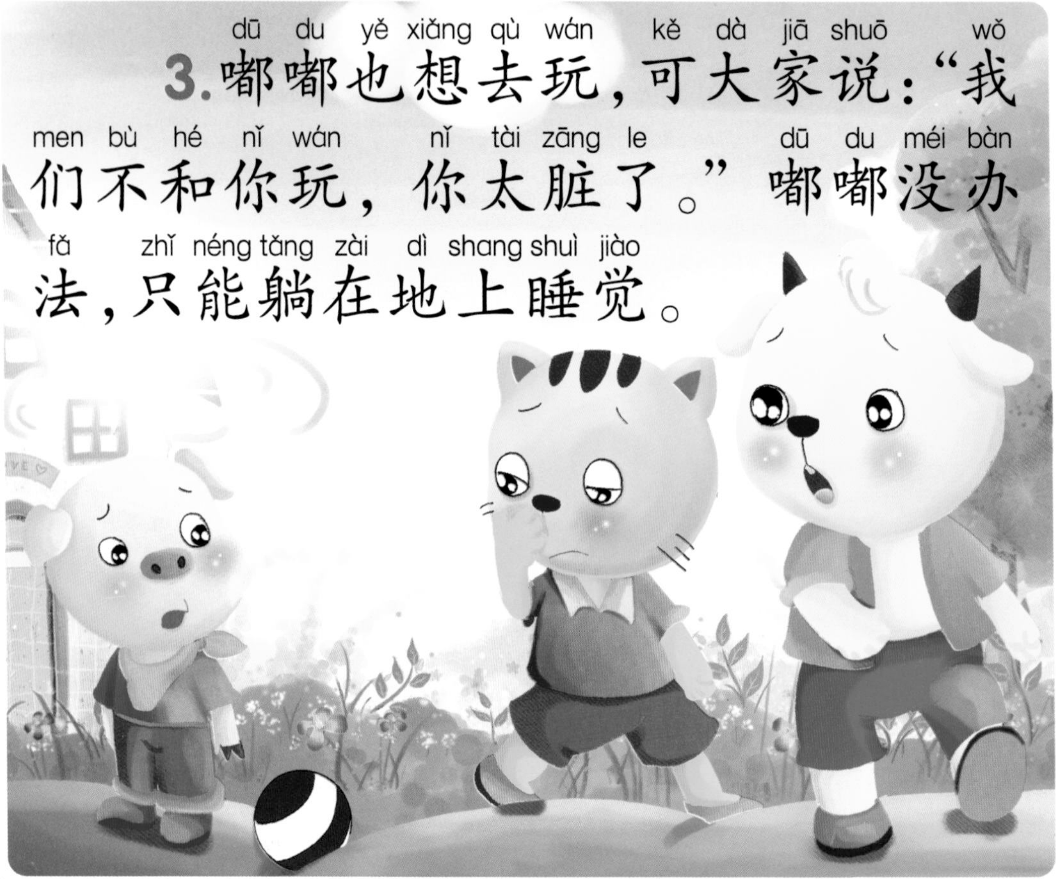

dū du zuò le yí
4.嘟嘟做了一
gè mèng tā bèi diū jìn lā
个梦：他被丢进垃
jī chǎng le dū du yí xià
圾场了。嘟嘟一下
zi bèi xià xǐng le
子被吓醒了。

tā gǎn máng pǎo
5. 他赶忙跑
huí jiā duì mā ma shuō
回家，对妈妈说：
mā ma wǒ yào xǐ zǎo
“妈妈，我要洗澡！
wǒ yào zuò gè jiǎng wèi shēng
我要做个讲卫生
de hǎo hái zi
的好孩子！”

不懂礼貌的小猴

yì tiān xiǎo hóu yào qù
1. 一天，小猴要去
nǎi nai jiā mā ma dīng zhǔ tā duì
奶奶家，妈妈叮嘱他对
rén yào yǒu lǐ mào xiǎo hóu diǎn diǎn
人要有礼貌。小猴点点
tóu biàn qí shàng mó tuō chē zǒu le
头便骑上摩托车走了。

xiǎo hóu kàn
2. 小猴看
dào shù shang guà zhe qiū
到树上挂着秋
qiān jiù tíng xià lái le
千，就停下来了，
gāo xìng de wán qǐ lái
高兴地玩起来。

hū rán pā
3.忽然“啪”
de yì shēng shéng zi duàn
地一声，绳子断
le xiǎo hóu bèi shuāi de
了，小猴被摔得
hūn guò qù le
昏过去了。

xiǎo hóu xǐng lái shí jī
4.小猴醒来时，鸡
dà shěn shuō qiū qiān zǎo huài le
大婶说：“秋千早坏了，
wèi shén me bù xiān wèn wǒ ne
为什么不先问我呢？”

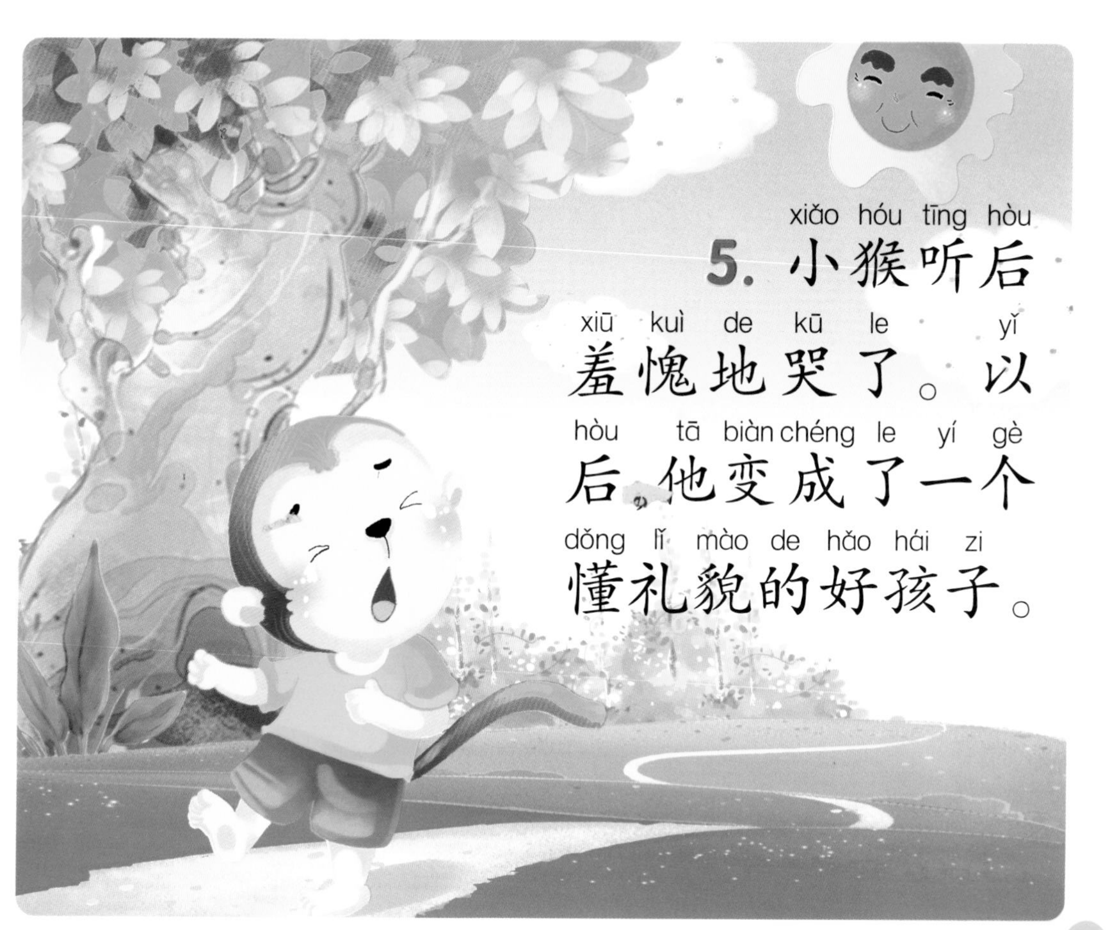

xiǎo hóu tīng hòu
5. 小猴听后
xiū kuì de kū le yǐ
羞愧地哭了。以
hòu tā biàn chéng le yí gè
后，他变成了一个
dǒng lǐ mào de hǎo hái zi
懂礼貌的好孩子。

借东西要还

yì tiān xiǎo māo qù shù
1. 一天，小猫去树
lín sàn bù kàn jiàn zhú sǔn kě yǐ
林散步，看见竹笋可以
wā lái chī le yú shì tā pǎo dào
挖来吃了，于是，他跑到
niú bó bo jiā qù jiè chú tou
牛伯伯家去借锄头。

xiǎo xióng shuō　niú bó bo　jiè wǒ chú tou yòng yí

2.小熊说："牛伯伯，借我锄头用一

xià hǎo ma　niú bó bo dì gěi xiǎo xióng yì bǎ chú tou

下好吗？"牛伯伯递给小熊一把锄头。

xiǎo xióng biān wā zhú sǔn biān
3.小熊边挖竹笋边

xiǎng wǒ yīng gāi sòng jǐ gēn zhú
想："我应该送几根竹

sǔn gěi niú bó bo chī
笋给牛伯伯吃。"

xiǎo xióng lái huán chú tou
4.小熊来还锄头，

duì niú bó bo shuō niú bó bo
对牛伯伯说：“牛伯伯，

xiè xie nǐ wǒ wā le jǐ gēn zhú
谢谢你，我挖了几根竹

sǔn gěi nín chī
笋给您吃。”

niú bó bo gāo xìng de shuō xiè xie nǐ
5. 牛伯伯高兴地说："谢谢你，

yǐ hòu yào yòng chú tou jiù lái jiè ba
以后要用锄头就来借吧。"

自私的胖胖

pàngpang hěn zì
1.胖胖很自
sī yí gè rén bà zhe
私，一个人霸着
hǎo dōng xi cóng lái bù
好东西，从来不
xiǎng zhe bié rén
想着别人。

yì tiān pàngpang jiā
2.一天，胖胖家
lái le yí wèi ā yí hái dài
来了一位阿姨，还带
le yí wèi xiǎo dì di
了一位小弟弟。

zhōng wǔ mā
3. 中午，妈
ma zuò le hěn duō hǎo chī
妈做了很多好吃
de cài pàngpang bǎ cài fàng
的菜，胖胖把菜放
zài miàn qián shuí
在面前，谁
yě bú ràng chī
也不让吃。

mā ma jiào pàngpang

4.妈妈叫胖胖

gěi dì di chī yì diǎn pàng
给弟弟吃一点，胖
pang hěn bù qíng yuàn de gěi dì
胖很不情愿地给弟
di xié le yì zhī
弟挟了一只
lóng xiā
龙虾。

chī guò fàn mā ma gěi pàngpang jiǎng le kǒng róng

5.吃过饭，妈妈给胖胖讲了《孔融

ràng lí de gù shi tīng wán gù shi pàngpang hóng zhe liǎn

让梨》的故事。听完故事，胖胖红着脸

shuō wǒ yǐ hòu zài yě bú zhè yàng le

说：“我以后再也不这样了。”

爱做小动作的蓝蓝

lán lan shì yí wèi
1. 蓝蓝是一位
kě ài de xiǎo gū niang bú
可爱的小姑娘，不
guò tā yǒu yí gè shàng kè
过她有一个上课
ài zuò xiǎo dòng zuò de
爱做小动作的
huài xí guàn
坏习惯。

yì tiān shàng kè shí lán
2. 一天上课时，蓝

lan tuī tuī qián miàn de yáng yang bǎ
蓝推推前面的洋洋，把

gāng zhé de fēi jī
刚折的飞机

gěi tā kě shì yáng
给他，可是洋

yang méi lǐ tā
洋没理他。

hū rán lǎo shī shuō
3.忽然，老师说：
lán lan shuō shuō lǎo shī gāng cái
“蓝蓝，说说老师刚才
jiǎng le shén me
讲了什么？”

lán lan hóng zhe liǎn shuō wǒ
4. 蓝蓝红着脸说："我
gāng cái zài zhé fēi jī bān shang de xiǎo
刚才在折飞机。"班上的小
péng yǒu tīng dào dōu hā hā dà xiào qǐ lái
朋友听到都哈哈大笑起来。

lǎo shī duì lán lan shuō yǐ hòu
5.老师对蓝蓝说："以后
tīng kè yào zhuān xīn bù néng zuò xiǎo dòng zuò
听课要专心，不能做小动作。"
lán lan hóng zhe liǎn rèn zhēn de diǎn diǎn tóu
蓝蓝红着脸认真地点点头。

小狗兄弟看电影

jīn tiān sēn lín li yào fàng
1.今天，森林里要放

diàn yǐng xiǎo gǒu xiōng dì gāo xìng de
电影，小狗兄弟高兴地

bān zhe xiǎo bǎn dèng qù kàn diàn yǐng
搬着小板凳去看电影。

xiǎo gǒu gē ge kàn
2. 小狗哥哥看
dào gāo xìng chù hā hā dà xiào
到高兴处，哈哈大笑
shuō zhè bù diàn yǐng tài hǎo
说：“这部电影太好
kàn le
看了。”

xiǎo gǒu dì di
3. 小狗弟弟
yě xīng fèn de zài yǐ zi
也兴奋地在椅子
shang huān bèng luàn tiào
上欢蹦乱跳。

yì páng de
4. 一旁的
shān yáng dà shū shuō
山羊大叔说：
zhè yàng kě bù hǎo
“这样可不好，
chǎo de dà jiā méi fǎ
吵得大家没法
kàn diàn yǐng
看电影。”

xiǎo gǒu xiōng dì xiū hóng le liǎn bù hǎo yì si
5.小狗兄弟羞红了脸，不好意思

de shuō duì bu qǐ wǒ men zài yě bú zhè yàng le
地说：“对不起，我们再也不这样了。”

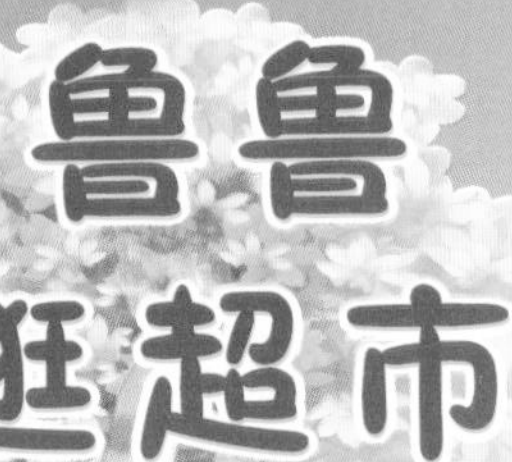

鲁鲁逛超市

yì tiān hóu mā
1. 一天，猴妈
ma dài zhe xiǎo hóu lǔ lu
妈带着小猴鲁鲁
qù chāo shì mǎi dōng xi
去超市买东西。

yí jìn chāo shì
2. 一进超市，

lǔ lu biàn fàng kāi mā ma de
鲁鲁便放开妈妈的

shǒu pǎo dào wán jù zhuān qū
手，跑到玩具专区。

wa zhè ge biàn xíng
3. 哇，这个变形
jīn gāng zhēn piào liang lǔ lu dǎ
金刚真漂亮，鲁鲁打
suan chāi kāi bāo zhuāng
算拆开包装。

zhè shí shòu huò yuán ā yí lián máng shuō xiǎo
4.这时，售货员阿姨连忙说：“小
péng yǒu zhè yàng kě bú duì yào děng fù guò qián hòu cái
朋友，这样可不对，要等付过钱后才
néng dǎ kāi bāo zhuāng hé yo
能打开包装盒哟。”

lǔ lu yì tīng hóng zhe liǎn bǎ wán jù fàng huí
5. 鲁鲁一听，红着脸把玩具放回
qù le yǐ hòu yí dìng yào zuò gè wén míng de hǎo hái
去了。“以后一定要做个文明的好孩
zi yo lǔ lu rèn
子哟！”鲁鲁认
zhēn de diǎn le diǎn tóu
真地点了点头。

用餐礼仪要遵守

kāi fàn la dòu
1. 开饭啦！豆
dòu gāo xìng de pǎo lái pǎo qù
豆高兴地跑来跑去。
mā ma shuō luàn pǎo luàn tiào
妈妈说：“乱跑乱跳
shì bù wén míng de xíng wéi
是不文明的行为。”

dòu dou gǎn máng ān
2. 豆豆赶忙安

jìng de zuò zài zhuō zi
静地坐在桌子

biān děng dài chī fàn
边等待吃饭。

mā ma zuò de fàn zhēn hǎo chī dòu dou biān
3. 妈妈做的饭真好吃！豆豆边
chī biān chàng hái bǎ wǎn qiāo de dīng dāng xiǎng
吃边唱，还把碗敲得“叮当”响。

bà ba shuō chī fàn
4.爸爸说："吃饭
shí bù néng luàn qiāo wǎn kuài dòu
时不能乱敲碗筷。"豆
dou lián máng ān jìng
豆连忙安静
xià lái
下来。

chī wán fàn hòu dòu dou zhǔ dòng bāng mā ma xǐ

5.吃完饭后，豆豆主动帮妈妈洗

wǎn bà ba mā ma dōu xiào le

碗，爸爸妈妈都笑了。

图书在版编目(CIP)数据

礼仪教育/李亭亭主编;—新疆:伊犁人民出版社,2011.2

(好孩子知识乐园)

ISBN 7-5354-2757-1

Ⅰ.①礼… Ⅱ.①李… Ⅲ.①礼仪教育-少儿读物

Ⅳ.①I232.628

中国版本图书馆 CIP 数据核字(2011)第 035724 号

好孩子知识乐园·礼仪教育

责任编辑:柏树文化

出　　版:伊犁人民出版社

奎屯市北京西路 28 号

发　　行:各新华书店

印　　刷:湖北省武汉市汉邦印刷厂

开　　本:889×1194　1/40

印　　张:15 印

版　　次:2012 年 1 月第 1 版

印　　次:2012 年 1 月第 1 次印刷

印　　数:1-5000

书　　号:ISBN 7 - 5354 - 2757 - 1

全套定价:80.00 元(共十册)